경멸

호메로스와 모라비아, 고다르에서의 이윤과 비이윤 연구

"이 장사꾼 새끼!" 남자가 소리치면서 마이크 켈리[1]를 확 잡아당겨서는 정통으로 얼굴을 쳤다. 장내가 조용해졌다. 경호원이 둘 사이를 막아섰다. 2007년 베를린에 소재한 야블롱카 갤러리에서 열린 마이크 켈리의 '칸도르스(Kandors)' 전시회 오프닝에서였다. 남자가 누구인지는 아무도 몰랐다. 전시회 오프닝이란 예상치 못한 사람들로 북적이는 법이니까.

오늘날 장사꾼이라는 건 어떤 의미일까? 미술품 매매와 미술품 장사에 차이가 있을까? 경계는 아주 얇다. 호메로스는 이 경계에 관심이 있었다. 그는 『오디세이아』에서 이걸 시험하고 괴롭히고 가지고 노는데, 『오디세이아』에 바탕을 둔 소설(『경멸(Il Disprezzo)』, 1954)에서 알베르토 모라비아도 마찬가지고, 모라비아의 소설에 바탕을 둔 영화(〈경멸(Le Mépris)〉, 1963)에서 장뤼크 고다르도 마찬가지다. 소설과 영화는 둘 다 영어로는 '경멸(Contempt)'로 옮겨진다. 가혹한 단어다. 이 단어가 어떻게 호메로스와 공명할 수 있을까?

호메로스는 음유시인으로서 생계를 꾸렸다. 역사학자들은 『오디세이아』에서 글자 그대로 저녁거리를 얻기 위해 노래를 부르는, 예를 들자면, 오디세우스 가문에 딸린 전문 시인으로 등장하는 페미오스 같은 인물들을 통해 호메로스의 음유시인 생활을 엿볼 수 있다고 생각한다. 페미오스라는 이름은 그저 '말하는 사람' 또는 '이야기꾼'을 뜻한다. 그의 역할은 이야기와 노래를 지어서 매일 저녁 식사 자리에서 좌중을 즐겁게 해주는 것이다. 그 대가로 잠자리와 먹고 마실 것과 명예를 얻는다. 『오디세이아』 첫 권에서 오디세우스의 아들 텔레마코스가 페미오스에게 청중을 기쁘게 해주는 법을 가르치는 장면에 이런 구절이 있다.

사람들 사이에서 가장 명예롭고 칭송받는 노래는
청자들의 귀에 완전히 새롭게 들리는 노래임을 아실 테지요.
（『오디세이아』 제1권 351~355절）

호메로스도 자신의 이전 베스트셀러를 사랑해준 청중에게 '완전히 새롭게' 들릴 서사시를 지어야 한다는 이런 압박을 느꼈을 것이 분명하다.『일리아스』는 다른 어떤 작품과도 같지 않은 전쟁 이야기였다. 그래서 호메로스는 전후 서사시인『오디세이아』를 만들었다. 이 작품은 죽음보다는 생존을 이상화하며 수익성이 있지 않으면 생존이 무의미한 영웅 오디세우스를 그려낸다. 오디세우스는 취득의 영웅이다. 트로이 전쟁터에서 집까지 한 달 보름 만에 갈 수도 있었지만, 그는 만나는 사람마다 환대와 선물을 요구하며 십 년 동안이나 세계를 여행한다.『오디세이아』제19권에는 이상한 장면이 있는데, 오디세우스가 제 입으로 이런 행동을 아내 페넬로페에게 설명하는 장면이다. 그는 여전히 변장한 채 최근에 그녀의 남편인 오디세우스를 만났다는 이야기를 지어낸다.

사실 당신 남편 오디세우스는 벌써 오래전에 돌아왔어야 하나
무언가를 얻으며 여러 땅을 돌아다니는 것이
그의 생각에는 더 수지맞겠다 싶었나 보오.
오디세우스는 어느 죽을 운명의 인간보다 이윤에 밝으니
이 점에서는 산 자 중에 그에 대적할 자 없으리오.

(『오디세이아』제19권 283~286절)

페넬로페는 눈썹 하나 까딱하지 않는다. 그녀는 남편이 어떤 사람인지 알고, 그가 어떤 경제체제에 속해 있는지 안다. 오디세우스는 땅과 아내와 노예를 소유한 귀족이고 물물교환과 선물교환에 기초한 고도로 통제된 귀족 경제에 속해 있다. 이 사회는 돌아가면서 여는 만찬과 청탁과 자신들의 고귀한 지위를 구체화하는 데 복무하는 선물과 접객 등, 가진 부를 자기들끼리 주고받는 귀족들의 사회다. 그들은 일부러 이런 상류층의 명예로운 부와 명예롭지 않은 상인의 이윤이나 영리적 이득을 구분한다. 귀족들은 선물을 주고받지, 상품을 사고팔지 않는다. 이 구분은 물리적인 동시에 형이상학적이다. 선물은 측정되지도, 계산되지도, 값이 매겨지지도 않는다. 이윤은 중요하지 않다. 마르크스의 용어를 빌리자면, 상품이란 상호 독립적인 두 거래자 간에 교환되는 양도 가능한 객체다. 둘의 관계는 비인격적이며 재화의 이동과 함께 끝난다. 선물은 상호 의존성을 인식하는 두 거래자 간에 교환되는 양도 불가능한 객체다. 핵심은 스스로를 빚진 상태에 두는 것이다. 선물과 상품은 두 가지의 다른 가치 개념을 표현하며, 두 개의 다른 사회적 관계 집단을 구체화한다. 두 집단은 상호 배타적이어야 한다.

선물 경제의 뿌리 깊은 보수성이 경계를 삼엄하게 방어하는 경향이 있긴 하지만, 사실상 역사적으로나 심리적으로나 둘은 아주 얇은 경계를 공유하고 때로 둘은 중첩된다.

호메로스가 선택한 용어를 쓰자면, 선물교환의 재료인 귀족의 부(富)는 보물 또는 '케이멜리온(keimēlion)'의 형태를 취한다. 케이멜리온은 단순히 '놓여 있다, 위치하다, 어떤 장소에 있다'를 의미하는 동사 케이마이(keimai)에서 파생된 희랍어 단어다. 명사인 케이멜리온은 '따로 보관하거나 저축해둔 어떤 것'으로 정의되는데, 예를 들자면 소유자가 생존을 위해 필요로 하지 않는 어떤 것을 말한다. 서사시에서 케이멜리온은 대개 청동이나 쇠, 금, 은, 좋은 옷감, 때로는 여자의 형태를 취한다. 이런 보물들은 몇 가지 직접적인 쓸모에 더해 미적인 즐거움도 주지만 진정한 중요성은 상징적 부 또는 사회적 신망에 있다. 그것들의 경제적 가치는 한정적이지만 어떤 측면에서 보자면 '값을 따질 수 없는' 절대적 경지에 있다.

그러면 이론적으로 말해서, 오디세우스는 탐욕이나 욕심을 채우려는 목적으로 재물을 긁어모으며 십 년이나 세상을 돌아다닌 것이 아니다. 그는 보물로 간직하거나 선물로 나눠줄 만한 귀중한 것들을 집으로 가져온다. 그렇긴 해도『오디세이아』를 읽은 기민한 독자라면 누구나 알아차리겠지만, 오디세우스 본인의 경제적 처신은 이론과는 조금 다르다. 경계가 정해져 있고 규칙이 분명한 경제적 질서 안에서 사는 것은 사실이지만, 그는 아주 얇은 경계를 시험해보기를 좋아한다. 오디세우스는 선물교환 체제의 중요성에도 불구하고 고대 서사시의 어느 영웅보다 자주 그 체제를 놓고 도박하기를 즐기는 듯하다.

모라비아의 소설『경멸』이나 이 소설을 바탕으로 한 고다르의 영화 〈경멸〉에 등장하는 영웅에게서는 그런 아이러니가 두드러지지 않는다. 두 경멸은 유머 감각이라고는 약에 쓰려고 해도 없는 어느 작가의 이야기를 들려준다. 이름은 리카르도인데, 호메로스의『오디세이아』를 영화화하려는 미국의 어느 거물 제작자가 그를 시나리오 작가로 고용한다. 리카르도는 배운 사람이지만 자아도취적이고 돈에 관해서는 신경증적이다. 아내를 위해 산 아파트의 대금을 치러야 해서 시나리오 일을 맡지만, 내심 자기 같은 사람이 해서는 안 될 한심한 일이라고 생각한다. 그는 그 일을 '단순한 임시변통'이라 지칭하고, 자신의 존재가 돈 때문에 '더럽혀지고 손상됐다'라고 말하며, 시나리오 쓰는 일은 '지성에 대한 일종의 강간'이며 자신의 시나리오에 대해서는 "…이제 나는 『오디세이아』에 통상적인 대학살을 단행해 영화로 축소해야 하리라"*라고 말한다. 그가 대학살을 단행하는 동안 결혼생활이 파탄에 이른다. 이야기 말미에서 리카르도의 아내는 미국인 제작자와 함께 스포츠카를 타고 가다가 기이한 자동차 사고를 당해 죽는다.

소설도 영화도 비극적으로 끝난다. 호메로스의 『오디세이아』는 딱히 그렇지 않다. 오디세우스를 비극에서 구해주는 것은, 한편으로는 교묘한 수를 쓸 줄 아는 도박꾼 기질과 '이윤을 아는 자'라는 호메로스의 평으로 요약되는 경제적 태도이고, 다른 한편으로는 그가 진정으로 아내를 사랑한다는 사실이다. 나는 사실이 둘이 동전의 양면이라 생각한다. 그렇다면 아내들을 생각해보도록 하자.

모라비아의 소설에 나오는 리카르도의 아내 에밀리아는 쾌활한 성격의 전직 타이피스트로, 소설의 화자인 리카르도가 자주 일깨워주듯이 교육 수준이나 지성, 도덕적 감수성 면에서 남편과 대등하지 않다. 리카르도는 대화를 나누는 대신 매번 몇 단락 분량에 이르는 장황한 자기분석 결과를 쏟아내고, 그녀는 멍하게 쳐다보거나 그냥 방을 나가는 것으로 반응한다. 소설의 줄거리는 리카르도가 시나리오 일을 받아들인 직후부터 에밀리아가 보이기 시작하는 이유를 알 수 없는 경멸을 중심으로 돌아간다. 그녀는 냉담하게 행동하고, 각방을 써야겠다고 결심하고, 아홉 장에 걸친 그의 끊임없는 심문 후에야 더는 그를 사랑하지 않는다고, 사실은 그를 몹시 싫어한다고 인정한다. 리카르도는 책이 끝날 때까지 이 사실을 분석한다. 결국 제작자와 처음으로 저녁을 먹으러 나가던 날 그녀를 제작자의 스포츠카에 태워 먼저 식당으로 보내고 자신은 택시를 타고 뒤따라간 것이 그녀의 심기를 건드렸다고 결론을 내린다. 에밀리아는 당연히 내가 시나리오 일을 유리하게 협상하려고 자신을 그 미국인의 품속으로 슬쩍 밀어 넣었다고 생각했겠지, 그는 생각한다. 마치 집으로 돌아온 오디세우스가 페넬로페의 구애자들에게 페넬로페를 마음대로 하라고 내주는 것이나 마찬가지였으리라. 에밀리아가 경멸을 보이는 이유에 대한 이 설명을 우리가 믿어야 하는지 말아야 하는지는 명확하지 않다. 이 설명은 리카르도가 제기하고 에밀리아가 매번 인정하는 여러 가설 중 하나일 뿐이다. 독자들이 보기에 그녀의 동기, 그녀의 진짜 욕망,

* Moravia (1999), 233, 41, 99. (All passages of Moravia's novel are quoted in the English translation of Angus Davidson.)

그녀의 정신적 깊이는 소설이 끝날 때까지도 불투명하다. 리카르도의 시각에서 보자면 그녀는 자각 같은 것과는 전혀 관계가 없는 인물이다. 그녀의 목숨을 앗아간 사고에 관해서 리카르도는 말한다. "그녀는 깨달을 새도 없이 죽었어."*

고다르의 영화에서 이 수수께끼 같은 인물의 배역을 브리지트 바르도가 맡았는데, 그 때문에 줄거리와 제작의 상당 부분이 변경됐다. (프루스트가 자기 소설 속 인물인 오데트를 칭한 표현대로) 바르도는 '곤란한 후광'이었다. 금발이어서만이 아니라(소설 속 에밀리아는 검은 머리다) 500만 프랑의 출연료가 지출된 데다 가는 곳마다 파파라치와 경호원 일개 대대가 따라붙었음은 물론, 당시 프랑스에서 '여성'의 완성된 정의(定義)로 통용되는 인물이었던 브리지트 바르도가 영화의 흥행 성공을 보장하는 한편으로 서사를 일그러뜨렸기 때문이었다. 고다르는 흥행 성공이 필요했다. 이전 영화 두 편이 연달아 실패했고, 프랑스 누벨바그가 어디로 가고 있는지는 아무도 모르는 상황이었다. 그는 누벨바그가 할리우드와 할리우드식 영화제작 방식의 가치를 받아들이는 걸 원치 않았지만, 브리지트 바르도를 섭외했을 때는 대규모 예산 영화의 온갖 복잡성과 타협을 받아들인다는 것을 의미했다. 그는 영화제작 방식을 바꿔야 했고, 조 러빈이라는 미국인 제작자에게 권한을 넘겨줘야 했다. 고다르의 상황은 모라비아의 소설에 나오는 불쌍한 모순덩어리 리카르도의 상황과 기묘하리만치 유사했다. 오스카 와일드라면 시나리오에서 예술이 걸어 나와 삶이 되는 이런 방식에 감탄했을 것이다. 하지만 "유혹을 제거하는 유일한 방법은 굴복하는 것이다"라고 말한 이 또한 와일드가 아니었던가? 고다르는 시네마스코프의 유혹에 그처럼 철저하게 굴복하여 타협의 볼거리라 할 만한 영화를 만들어냈다. 소설이 보여주는 억지스러운 윤리적 변명을 거들떠보지도 않고, 영화 〈경멸〉은 오디세우스도 자랑스러워할 자기만족적 잔꾀의 정신으로 자신의 훼절을 축하한다. 고다르는 '이윤을 아는' 사람이다. 이윤이라는 주제를 떠나서, 그는 대규모 영상을 만들 수 있는 예술가다. 그리고 그가 영화의 중심에 브리지트 바르도를 앉혔을 때, 그녀는 모든 것을 완전히 다른 경제적 차원으로 옮겨놓는다.

하지만 잠깐만 오디세우스와 만찬의 여흥으로 노래하기 문제로 돌아가보자. 지금까지 『오디세이아』에서 오디세우스가 경험해본 최고의 만찬들은 제5권에 나

---

* Moravia (1999), 249.

오는 칼립소가 사는 섬에서였다. 오디세우스를 사랑하게 된 님프 칼립소는 그를 몇 년 동안이나 억지로 섬에 붙들어둔다. 그는 첫 주에는 매혹되었지만 둘째 주에는 지겨워졌고, 점차 상황을 수요와 공급의 문제로 틀 지우는 호메로스에 따르면 경제적 문제라 할 수 있을 일종의 절망 속으로 빠져든다. 칼립소의 섬은 신비로워서 음식이 됐든, 음료나 옷, 성(性), 동료, 대화가 됐든, 오디세우스가 필요를 느끼자마자 채워질 수 있는 욕구는 즉각 채워진다. 그는 그저 자신의 존재라는 수단으로 값을 치르면 된다. 그의 존재 전부로 말이다. 칼립소는 오디세우스의 전부를 원한다. 그녀는 육체적, 감정적, 도덕적, 언어적 그를, 그의 모든 것을 원한다. 그녀는 그가 본연의 인간됨으로 이루어놓은 예술 작품을 원한다. 그것도 영원히. 그녀는 그에게 불멸을 약속한다. 그가 거래를 거부하자 그녀는 당황한다. 대체 누가 황홀한 신성과 더불어 영원히 살 수 있는 소비자의 낙원을 마다한단 말인가? 오디세우스의 대답은 "당신이 님프이고 제 아내보다 위대하고 아름답다는 걸 압니다. 그녀는 한낱 인간인 데 반해 당신에겐 죽음도 늙음도 없기 때문이지요. 하지만 저는 페넬로페가 더 좋습니다. 그리고 저는 돌아갈 날만을 고대하고 있습니다"였다. 오디세우스의 대답은 신중하게 계산한 결과다. 그는 칼립소가 가진 영원한 시간과 영원한 쾌락을 집에서 보내는 단 하루의 시간과 소멸할 운명인 아내의 매력에 대비하여 측정한다. 영원이 결핍과 조우한다. 오디세우스도 호메로스도 영원한 결핍이 정확하게 무엇인지는 말해주지 않는다. 다시 말하자면, 우리에게는 페넬로페에 대한 객관적인 묘사가 없다. 우리는 그녀의 피부색이 어두운지 밝은지 알 수 없다. 오디세우스는 님프보다 페넬로페를 더 원하게 만드는 자질의 목록을 어디에서도 밝히지 않는다. (오디세우스가 변장한 채 페넬로페의 집에 나타나는) 제17권부터 (페넬로페가 울면서 그의 이름을 부르며 품에 안기는) 제23권까지, 이른바 남편과 아내가 서로를 '알아보는 장면'에서 보여주듯이, 시의 마지막 장면들에서 명확해지는 것은 둘이 명민함에서도 모호함에서도 천생배필이라는 점이다. 둘이 서로를 알아보기 전까지 일곱 권의 책을 통과하며, 우리는 페넬로페가 무슨 생각을 하는지 절대 알려주지 않는 간단한 전술로 그를 유혹하는 것을 지켜본다. 그녀는 그를 알아보는지 아닌지 밝히지 않고서, 의복과 먹을 것과 목욕과 안마당에 준비한 침대와 몇 번의 깊이 있는 대화의 기회를 제공하는 일련의 감질나는 상호작용을 통해 그의 눈앞에 자기 자신을, 귀가의 가망성을 내밀고는 살살 흔든다. 정확하게 시의 어디쯤에서 페넬로페가 오디세우스가 오디세우스라고 확신하는지, 그리고 그의 귀가를 환영하자고 결심하는지를 놓고 여전히 학자마다 의견이 다르다. 모라비아의 소설에 나오는 아내 에밀리아 역시 남편 리카르도에게는 움직이는 모호함의 현장인 듯하다. 그는 그녀를 파악할 수 없다. 그녀가 '고작 타이피스트'이기 때문에, 그는 문제의 원인을 그녀의 낮은 교육 수준에, 또는 타락에, 또는 스스로의 내적 삶을 (그의 표현에 따르자면) '의식하지 못함'에 귀착시킨다. 우리는 그게 사실인지 절대 알아낼 수 없다. 에밀리아라는 인물은 늘 초점에서 벗어나 있고, 리카르도의 격분이라는 렌즈를 통해서만 보인다. 그녀가 도무지 종잡을 수 없는 바람에 그의 눈앞에서 허물어지는 때가 몇 번 있다. 둘이 말다툼을 할 때 그녀의 얼굴이 어떻게 변하는지 설명하는 그의 묘사를 보자.

> …그(녀)가 나를 쳐다보았다. … 나는 이미 알고 있는 특색들을 알아본다. 그녀의 아름답고, 거무스름하고, 고요한 얼굴이 너무나 조화롭게, 너무나 대칭적으로, 너무나 조밀하게 정신을 가르는 우유부단함을, 이를테면 거의 부패에 가까운 과정을 견디고 있었다. 한쪽 뺨이 홀쭉해진 것 같았고(다른 쪽은 아니었다), 입이 더는 얼굴 정중앙에 있지 않았으며, 당황한 흐릿한 눈은 동그란 검은 밀랍 속에 있는 듯이 눈구멍 안에서 붕괴하는 듯했다.*

처음 책을 읽었을 때는 이 구절이 무섭게 느껴졌고 리카르도가 상당히 이상한 사내 같았다. 하지만 다시 생각하니 그와 그의 태도가 호메로스가 살던 시대의 그리스에서는 아주 편안하게 받아졌을 것 같았다. 그리스는 가부장적이었을 뿐만 아니라 여성을 형태 없이 내용으로만 그리는 것만으로도 악몽이 되는 여성 공포증적 문화였다. 여성을 경계가 불안정하고 자신을 통제하는 능력이 불충분한 생물로 간주했다는, 고대의 의학적, 철학적, 법률적 문서들에서 수집한 충분한 증거가 있다. 기형이 그녀를 따른다. 그녀는 부풀고, 그녀는 쭈그러들고, 그녀는 새고, 그녀는 구멍 나고, 그녀는 붕괴한다. 여성의 생애를 생리와 삽입과 임신과 형태의 변화와 함께 생각해보라. 스킬라, 메두사, 세이렌, 하르피이아, 아마존, 스핑크스 같은, 대체로 경계가 어지럽혀진 여성들인 그리스 신화의 괴물들을 생각해보라. 신체적, 정신적, 도덕적 억제력은 미덕이며, 고대인들의 시각에서 볼 때 여성들에게 그런 억제력이 없는 것은 명확하다. 여성이 형태나 일관성을 얻으려면 남성의 규제와 엄밀한 표현에 자신을 내맡겨야 한다.

---

* Moravia (1999), 68-9.

그러니 죽음조차 에밀리아의 두서없음을 끝내지 못하는 것도 놀랄 일이 아니다. 모라비아의 소설은 에밀리아가 교통사고로 목숨을 잃은 후에 매우 이상하게 결말이 나는데, 아내가 유령이 되어 남편 앞에 나타나서는 긴 대화를 수행하고, 그러고는 사라진다. 나중에 그는 그 일이 정말로 있었는지조차 헷갈린다. 그는 말한다.

그리하여 삶에서와 마찬가지로 죽음에서도 진정한 정합성이란 없었다. 그리고 나는 그녀가 유령이었는지 아니면 환각이었는지 아니면 꿈이었는지 아니면 혹시라도 뭔가 다른 환상이었는지 절대 알아내지 못할 것이다. 살았을 때 우리 관계에 독을 풀었던 모호함이 그녀가 죽고 나서도 계속되었다.*

아내가 너무나 완벽하게 불가지(不可知)해서 또다시 사랑에 빠진 오디세우스와 달리, 페넬로페의 필멸성에서 궁극의 최음제를 찾아냈기 때문에 님프를 버렸을 게 분명한 오디세우스와 달리, 리카르도는 에밀리아의 죽음과 무형성(無形性) 둘 다에 분개하고 시기한다. 하지만 소설의 마지막 단락에서 그는 그럴듯한 대응의 방향을 혼자 힘으로 찾아낸다. 그는 그녀의 이야기를 글로, 사실은 바로 이 소설로 쓸 것이다. 그는 자기 문장의 범위 안으로 에밀리아의 곤란한 후광을 포착해낼 것이다. 결국 그녀는 억제할 수 없지 않다. 그는 그녀를 자신의 문장 안으로 수용해낼 수 있다. 결국 그녀는 값을 매길 수 없지 않다. 그는 그녀를 시적 불멸성을 거래하는 장사의 일부로 만든다. 그는 그녀를 팔아치운다.

장뤼크 고다르가 영화 〈경멸〉에서 그 거래를 반복하여 유령 여인을 포착하는 일을 맡았을 때, 그는 쉽지 않다는 사실을 깨달았다. 그는 1963년 인터뷰에서 왜 브리지트 바르도를 모라비아 소설 속 에밀리아로 변환하는 데 실패했는지 설명한다. "바르도는 한 덩어리입니다. 우리는 그 사실을 덩어리로, 온전한 하나로 받아들여야 하고, 그게 바르도가 흥미로운 이유지요."† 흥미가 열쇠다. 나는 모라비아의 소설을 네 번 읽었지만 어떻게 해도 에밀리아를 흥미로운 인물로 볼 수 없다. 리카르도의 묘사가 그녀를 지나가는 차들에 치인 동전처럼 납작하게 만들고 마는 것이 어쩌면 모라비아의 의도일지도 모른다. 반면에 영화에서는, 바르도-덩어리가 배역을 맡게 되면서 원작 인물의 모호함이 상세하게 설명되고

* Moravia (1999), 250.
† 장 콜레와의 1963년 9월 12일 인터뷰 인용, T. Mussman, Jean-Luc Godard (1968), 146.

책에서는 성취한 적 없는 깊이와 개성과 현실성이 발달하게 된다. 그녀는 사실 에밀리아가 아니고, 그녀는 에밀리아와 다르고, 기타 등등이다. 하지만 바르도는 오디세우스의 아내와 중요한 한 가지를 공유한다. 페넬로페처럼 바르도도 하나의 비밀이다. 바르도는 비밀로 남는다. 여기서 이 현상을 분석하지는 않겠다. 다만 영화에서 이 현상이 어떻게 작동하는가를 보여주는, 바르도와 고다르가 어떻게 협력하여 그 일을, 어떻게 바르도가 비밀로 남는 일을 가능하게 했는지 보여주는 실례를 하나 들어보겠다.

거기에는 이윤이라는 결정적 사안이 걸려 있었다. 다시 오스카 와일드를 인용해보자. "예술과 마찬가지로 도덕이란 어딘가에 선을 긋는 것을 의미한다."* 영화를 찍을 때 고다르는 바르도의 몸에 선을 그었다. 착취하지는 않았다. 목욕 장면이 있지만 영화 비평에 관한 (프리츠 랑²에 관한) 아주 커다란 책으로 은밀한 부위를 가리고 욕조에 누워 있는 그녀를 보여줄 뿐이다. 미국인 제작자 조 러빈은 〈경멸〉의 첫 편집본을 보고 길길이 날뛰었다. 그는 속았다고 느끼고 노출을 요구했다. 바르도의 몸에서 자신이 투자한 500만 프랑의 가치를 뽑아낼 작정이었다. 그래서 고다르는 영화 첫머리에, 크레딧이 나오기 전에 한 장면을 추가했다. 벌거벗은 바르도가 어떤 남자와 함께 침대에 누워 있는 장면이다. 둘은 대화를 나누고 있다. 바르도가 남자에게 자기 몸이 마음에 드느냐고 묻는다. 그녀는 몸을 부위별로 열거한다. "내 발가락은 마음에 들어? 내 무릎은 마음에 들어? 내 똥구멍은 마음에 들어?" 그녀가 묻는다. "어느 쪽이 더 마음에 들어, 내 오른쪽 발가락 아니면 왼쪽 발가락? 내 오른쪽 무릎 아니면 왼쪽 무릎? 내 가슴 아니면 내 젖꼭지?" 그러는 동안 카메라의 시선은 그녀의 엉덩이에 가장 오래 머무르며 그녀의 육체를 배회한다. 남자는 그녀의 모든 질문에 진지하게 대답하고는 마침내 말한다. "난 너를 전적으로, 예민하게, 비극적으로 사랑해." 그 말에 바르도는 장엄한 모호함을 드러내며 답한다. "나도 그래." 그리고 장면이 끝난다.

바르도는 이 장면을 경멸이라고는 전혀 없이 연기한다. 그녀의 몸짓은 단순하고 순수하다. 그녀의 어조는 고요하고 지극히 평범하다. 그녀의 태도는 물만큼이나 투명하다. 그리고 어떻게 했는지, 강요된 완전 노출의 한복판에서 그녀는 사라진다. 발가락 하나하나 젖꼭지 하나하나까지 남성의 판단에, 고다르의 카메

---

* 실제로 이 말을 한 사람은 G. K. 체스터턴이지만, 내가 이 논문을 쓸 때는 오스카 와일드가 한 말이라고 생각했고, 그랬으면 좋았을 것이다.

라에, 관객의 시선에 팔아치우면서도 그녀 자신은 거래에서 빠져나간다. 그녀는 비밀이어야 하는 비밀로서, 뭔가 엄청난 것이 된다. 선물이어야만 하는 선물로서 말이다. 우리는 그녀를 소유할 형편이 안 된다.

그리고 그 순간부터 그녀는 모든 장면을 지배하는 부드러운 주인이다. 단연코 내가 제일 좋아하는 그녀의 부드러운 지배 전략은 감싸는 몸짓이다. 내가 기억하기에 영화에는 바르도가 목욕 가운을 입는 장면이 세 군데 있다. 그녀는 매번 물 흐르는 듯한 동작으로 훌렁 가운을 걸치고 허리께에 끈을 둘러 두 손으로 묶은 다음 장면을 떠난다. 엄청나다. 그녀는 자신을 감싸고 나간다. 그녀가 이긴다. 이런 연기를 할 때마다 그녀는 영화를 자신의 손아귀에 넣는다. 당신은 선천적으로 억제될 수 없는 무언가인가? 영화는 바르도에게 묻고, 그녀는 대답 대신에 자신을 무한으로 감싸고 퇴장한다.

브리지트 바르도는 이 서사시의 영웅이다. 그녀는 결국 '이윤을 아는' 자다. 첫 장면부터 그녀는 케이멜리온으로서, 떠받들어지는 보물로서 처신하는데, 이 케이멜리온이 엄청난 것이라는, 값을 따질 수 없는 선물이라는 느낌을 끝까지 유지하며 우리에게 주입하는 능력이 있는 듯하다. 오디세우스처럼 그녀에게도 그런 걸 소유하거나 나눠줄 힘이 있다. 그리고 바르도는 고다르와의 협력을 통해 우리로 하여금 그 이윤이, 이윤을 아는 자들에게는, 초월적인 얼굴을, 아니면 적어도 초월적인 똥구멍을 가질 수 있다고 기어이 믿게 만든다.

참고 도서

Bersani, Leo, and Ulysse Dutoit. *Forming Couples: Godard's Contempt*. Oxford: Legenda, 2003.

Dougherty, Carol. *The Raft of Odysseus: The Ethnographic Imagination of Homer's Odyssey*. Oxford: Oxford University Press, 2001.

Finley, Moses. *The World of Odysseus*. New York: New York Review Books, rev. 1977.

MacCabe, Colin. *Godard: A Portrait of the Artist at Seventy*. New York: Farrar, Straus and Giroux, 2004.

Moravia, Alberto. *Il Disprezzo*. Milan: Bompiani, 1954.
(알베르토 모라비아, 『경멸』, 정란기 옮김, 본북스, 2014.)

———, *Contempt*. Translated by Angus Davidson. New York: New York Review Books, 1999.

Mussman, Toby, ed. *Jean-Luc Godard: A Critical Anthology*. New York: E. P. Dutton, 1968.